그림대작전!

그림대작전!

류그린

등장인물

이가윤 (15살)

취미가 많음. 학교 기자부에서 노트북이 많음

혼자 돈이 필요한 15살.

취재하는 것과 추리예능을 좋아함.

김지안 (15살)

가윤이의 10년지기 절친.

완벽한 성격 E 인 15살.

쿨해서 고민상담을 많이 해줌.

김지후 (15살)

학교에서 제일 인기가 많음.

시크한 15살.

못하는 것이 없음. (운동 빼고)

박하나 (15살)

학교에서 여자중 제일 인기가 많음.

거의 혼자 다니는 15살.

재벌 3세 임.

박흥민 (15살)

가윤의 라이벌, 가윤을 여러곳에서 ㅎㅎ.

가윤에 신경쓰여, 따라하는 15살.

흥민의 친구 명제 여중만 다님.

기타등장인물

① 소식을 전달하는 방송부 소윤지

② 소문난 15살 용가 이수인

③ 박하나의 그림 선생님 이바람

목차

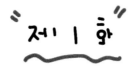

1화 주요 등장 인물

이가은

김지연

박하나

소윤지

황민지

정민호

이수민

선생님

이수민 (15살, 여자)

- 최초 15살 합가
- 세계 어린이 그림대회 우승 (9살)
- 한국 만화대회 준우승 (초등학생, 11살)
- 하나동 그림 대회 우승 (12살, 13살, 14살)
- 서울시 명화대회 우승 (14살)

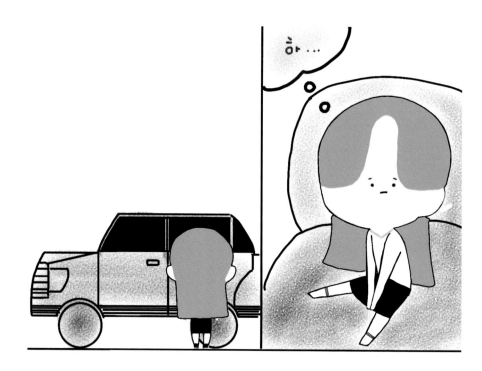

쉬는 시간..

다음날

시험 시작한다.
교과서 공책다 집어 넣어.

...

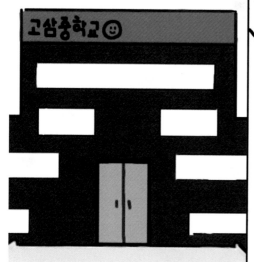

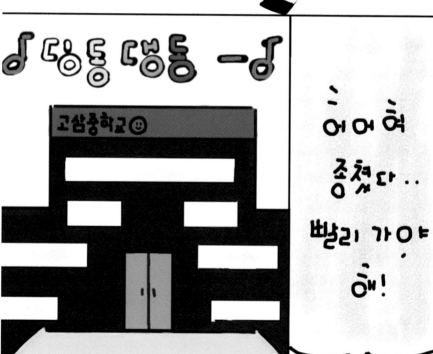

제 2 화

아무것도 없다....

2화 주요 등장 인물

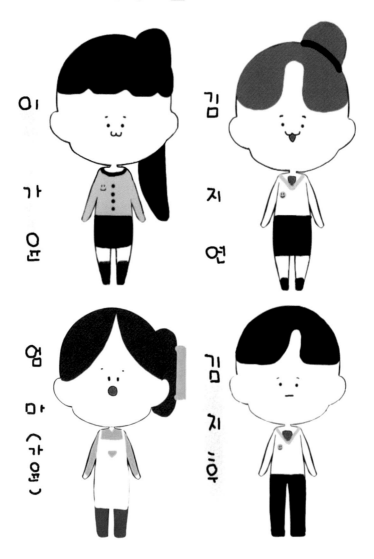

이가윤

김지연

엄마 (가연)

김지후

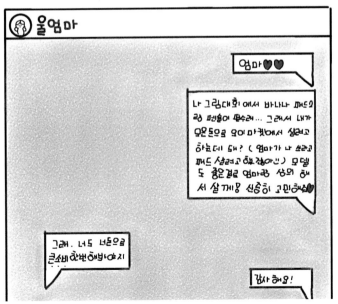

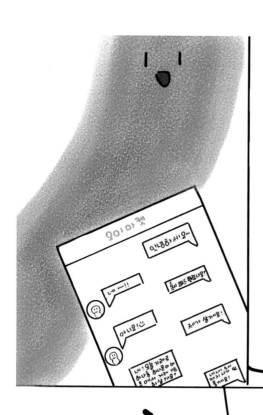

빨리 나갈 준비 해야겠다

20분 후...

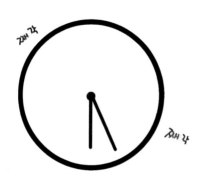

준비끝! 나가야 겠다.

제 3 화

시작

3화 주요 등장 인물

△ 이가윤

△ 이수민

△ 백하나

△ 정민호

3화 주요 등장 인물

△ 황민지

△ 배흥면

△ 김제연

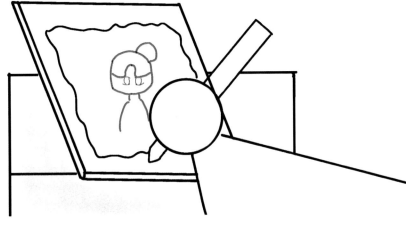

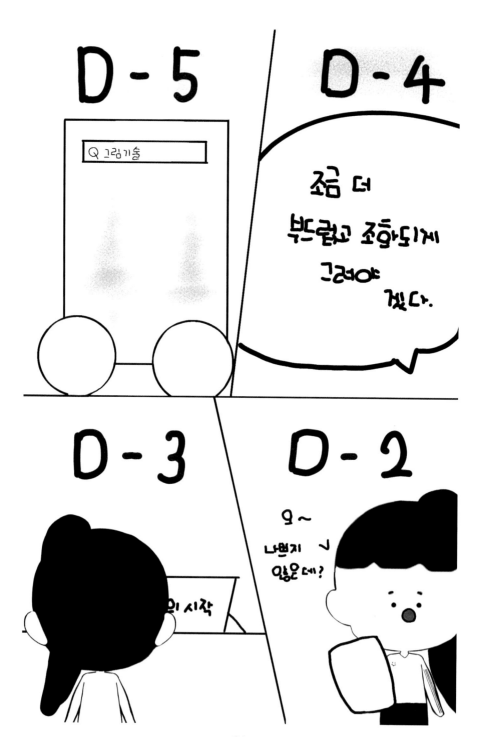

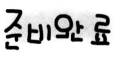

도 착했다

분위기
뭐지...?

많은 분들께서 모이셨으니 안내
해드리겠습니다.
안녕하세요. 이번 그림대회에
진행을 맡은 이로움 입니다.

저희는 16명이서 16강을 하게 될 겁니다.

대진표 입니다.

30분 후인 11:30 부터 경기가 시작됩니다. 다들 준비물 챙겨서 다목적실로 오세요.

경기는 랜덤주제를 뽑아 그 주제로 그림을 그리게 됩니다.

심사위원 4분 의 평균 점수로 적용이 됩니다. 또 심사위원은 표현성, 주제 어울림, 예술성 세가지 10점 만점으로 해서 평균점수를 구합니다.

그리고 1 대 1 토너먼트 임 니다.

심사위원분들 점수 작성하시고, 점수 공개 하겠습니다.

	A		B
1	7.6	1	6.8
2	7.7	2	7.1
3	7.8	3	6.9
4	7.5	4	7.3
총점	7.65	총점	7.025
승패	승	승패	패

A, 박하나 양이 승리입니다. 다음 경기 준비 하시기 바랍니다.

다음 김채아 최아연 양의 대결을 시작 하겠습니다.

주제는 꽃입니다.
시 작!

30
분 후

점수 공개
하겠
습니다.

	A		B
1	7.1	1	7.2
2	7.2	2	7.3
3	6.9	3	7.1
4	7.4	4	6.9
총점	7.15	총점	7.125
승패	승	승패	패

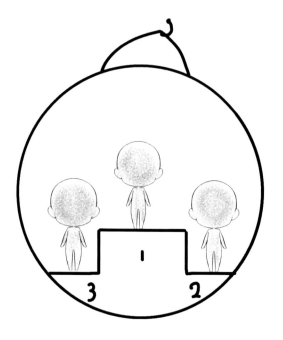

위기와 끝

심판분들 점수를 공개해주세요.

	A		B
1	7.3	1	7.1
2	7.2	2	6.9
3	7.5	3	7.3
4	7.6	4	7.4
총점	7.4	총점	7.175
승패	승	승패	패

아 싸!

8강은 내일 진행됩니다. 집에 가셔도 됩니다.

아침 8시
입니다!
일어나세요
♪♪♪

준비완료

으, 박하나

김새아

박하나 왜 저렇게 그린 거야?!

박하나 그림 코치.

점수 공개 하겠습니다.

	A		B
1	6.7	1	6.8
2	7.1	2	6.6
3	7.2	3	7.1
4	6.9	4	7.0
총점	6.975	총점	6.875
승패	승	승패	패

박하나양의 승리 입니다.

ㅇ, 이 가운

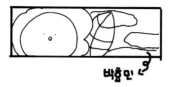

박흥민

점수체크 하숙세요.
점수공개 하겠
습니다.

A		B	
1	7.6	1	7.5
2	7.1	2	7.2
3	7.7	3	7.1
4	7.4	4	7.5
총점	7.45	총점	7.325
승패	승	승패	패

나이
스윙

4 강전은 2시간
후인 2시에 시작
될 예정 입니다.

네! 그럼 밥좀
먹고 오겠습
니다.

	A		B
1	7.4	1	6.7
2	7.3	2	6.8
3	7.6	3	7.6
4	6.9	4	6.9
총점	7.3	총점	7
승패	승	승패	패

30 분 후

· · ·

점수 공개 하겠습니다.

	A		B
1	7.9	1	7.5
2	8.0	2	7.6
3	7.7	3	7.4
4	7.6	4	7.7
총점	7.8	총점	7.55
승패	승	승패	패

20
분후...

30분끝.

제출하겠
습니다.

6, 주제 : 환경오염

주제 : 지금 이 순간

이로써 제 1회 15살 그림
대회 1위는 여겨윤영 2위
는 이수민양 3위는
홍민지양 입
니다.

합니
다

축하

	A		B
1	7.9	1	7.4
2	7.6	2	8.1
3	7.4	3	7.5
4	7.8	4	7.8
총점	7.676	총점	7.7
승패	패	승패	승

점수 입니다.

작가의 말

안녕하세요.

그림대작전 작가입니다.

일단 만화책 보시면서 불편한 점이나 저의 실수가 있었으면 죄송하다고 말씀드리고 싶습니다. 책을 쓰면서 좀 재미있었습니다. 이 책을 보시는 분들께서도 재미있게 보시면 좋겠습니다.

여러분들도 가운이처럼 두려워하지 않고 도전하며 좋은 성과를 내시면 좋겠습니다. 좋은 성과를 바로 얻지 못해도 나중에 계속 도전하면 언젠가는 좋은 성과를 내실거라고 생각합니다.

여러분들께서 하시는 모든 일을 응원하겠습니다. 여태까지 그림대작전 작가 류그린이었습니다. 읽어주셔서 감사합니다.

- 류그린

그림대작전!

발　행 | 2023년 12월 06일
저　자 | 류그린
펴낸이 | 한건희
펴낸곳 | 주식회사 부크크
출판사등록 | 2014.07.15.(제2014-16호)
주　소 | 서울특별시 금천구 가산디지털1로 119 SK트윈타워 A동 305호
전　화 | 1670-8316
이메일 | info@bookk.co.kr

ISBN | 979-11-410-5750-3